自我篇
表達愛

米莉、茉莉和莉莉成長故事

大聲說我愛你

【紐西蘭】吉爾·皮特 / 著　【紐西蘭】克雷斯·莫雷爾 / 繪　劉丙鈞 / 譯創

U0063180

中華教育

責任編輯　夏柏維
裝幀設計　龐雅美
排　　版　龐雅美
印　　務　劉漢舉

大聲說我愛你

【紐西蘭】吉爾・皮特／著　【紐西蘭】克雷斯・莫雷爾／繪　劉丙鈞／譯創

出版｜中華教育

香港北角英皇道 499 號北角工業大廈 1 樓 B 室

電話：（852）2137 2338　傳真：（852）2713 8202

電子郵件：info@chunghwabook.com.hk

網址：http://www.chunghwabook.com.hk

發行｜香港聯合書刊物流有限公司

香港新界荃灣德士古道 220-248 號荃灣工業中心 16 樓

電話：（852）2150 2100　傳真：（852）2407 3062

電子郵件：info@suplogistics.com.hk

印刷｜美雅印刷製本有限公司

香港觀塘榮業街 6 號海濱工業大廈 4 字樓 A 室

版次｜ 2021 年 12 月第 1 版第 1 次印刷

©2021 中華教育

規格｜ 16 開（190mm x 140mm）

ISBN｜ 978-988-8760-08-4

怎樣主動表達愛

　　愛要及時表達出來，不要等到機會不再。米莉、茉莉和莉莉的朋友們，聽到她們大聲說「我愛你」時，都非常開心，並且用同樣的方式回應了這三個女孩子。

金魚金蒂去世了。

米莉、茉莉和莉莉好傷心，好難過。

布萊思老師安慰她們說：「你們把牠照
顧得很好，金蒂是因為年老才去世的。」

　　布萊思老師問：「你們有沒有對金蒂說過『我愛你』？」

　　米莉搖搖頭：「我沒有說過。」

　　茉莉搖搖頭：「我也沒有說過。」

　　莉莉搖搖頭：「我在心裏說過，可從來沒說出口。」

　　布萊思老師說：「我們應該經常說『我
愛你』，每個人都喜歡這句話。」
　　她們點點頭說：「我們記住了。」

　　接着，她們對布萊思老師說：「我愛你，布萊思老師。」

　　布萊思老師很開心，抱着她們說：「我也愛你們。」

在路上，她們遇到牽着牛的農夫郝加蒂。

米莉、茉莉和莉莉大聲地說：「我愛你，郝加蒂伯伯。」

郝加蒂歡喜地說：「謝謝你們，我也愛你們。」

走過菜園，她們遇到麥德嬸嬸。

米莉、茉莉和莉莉說：「我愛你，麥德嬸嬸。」

　　麥德嬸嬸非常驚喜：「啊，謝謝你們，
我也愛你們！」

鮑勃大叔帶着鸚鵡走過來。

　　米莉、茉莉和莉莉說：「我愛你，鮑勃
大叔。」

鮑勃大叔笑着說:「我也愛你們。」

斯米利醫生提着公事包匆匆趕路。

米莉、茉莉和莉莉說：「斯米利醫生，我愛你。」

斯米利醫生停下來說：「好孩子，我也愛你們。」

　　麥克斯特的媽媽站在路邊等人呢。

　　米莉、茉莉和莉莉說：「我愛你，麥克
斯特的媽媽。」

麥克斯特的媽媽轉過身來，說：「啊，孩子們，我也愛你們！」

布朗列神父走過來。

米莉、茉莉和莉莉說：「我愛你，布朗列神父。」

　　布朗列神父面帶笑容地拍拍米莉、茉莉和莉莉，說：「好孩子，我也愛你們。」

弗羅斯特正在清掃落葉。

米莉、茉莉和莉莉說：「我愛你，弗羅
斯特。」

弗羅斯特臉紅了，說：「這是我聽過的最動聽的話，我也愛你們。」

林培先生正在取報紙。

米莉、茉莉和莉莉說：「我愛你，林培
先生。」

　　林培先生熱情地抱住米莉、茉莉和莉莉，說：「啊，小天使，我也愛你們！」

　　米莉、茉莉和莉莉回到家，小貓咪咪、淘淘和糖糖正在家門口等她們呢。

米莉、茉莉和莉莉一人抱起一隻小貓。
米莉說：「我愛你，咪咪。」
茉莉說：「我愛你，淘淘。」
莉莉說：「我愛你，糖糖。」

咪咪、淘淘和糖糖聽過這句話好多好多次，牠們最喜歡這句話啦。

《大聲說我愛你》閱讀指導

❶ 回憶

和孩子一起回想故事裏的角色：米莉、茉莉、莉莉、布萊思老師和鄰居們。

❷ 提問

米莉、茉莉和莉莉有沒有對金蒂說過「我愛你」？

布萊思老師建議米莉、茉莉和莉莉應該怎麼做？

當米莉、茉莉和莉莉對遇到的每個人說「我愛你」時，他們是如何回應的？

小貓咪咪、淘淘和糖糖是如何回應的？

❸ 理解

解釋故事中包含的主題：表達愛（把你對某人、某物或某件事發自內心的喜愛表示出來）。

當米莉、茉莉和莉莉的朋友們聽到她們說「我愛你」時，他們都非常開心，並且用同樣的方式回應這三個女孩子。小貓咪咪、淘淘和糖糖已經聽到這句話好多好多次了，牠們用快樂和心滿意足，作為對女孩子們愛的回應。

❹ 訓練

寫：寫出你要向他們說「我愛你」的家人和朋友的名字。

說：你有心愛的寵物嗎？說一說牠是如何回應你對牠的愛的。

做：製作一張「我愛你」心意卡片，送給你的爸爸或媽媽。

創：和小夥伴們一起排演這個故事吧。或者按本冊主題新編一個故事，可以畫下來、寫下來，也可以講出來喲！